D0970547

Gilles Tibo

Moi guerrier, toi pou !

illustré par Claire Franek

SIX & PLUS | **casterman**

chapitre 1
Le Guerrier

JE SUIS GRAND et très méchant. J'ai de gros bras de fer qui peuvent tordre des ponts, de grosses jambes d'acier et un gros bouclier caché dans mon sac d'école. On m'appelle le Guerrier.

J'ai des ennemis partout, à l'école, dans la ruelle et au terrain de jeu. Je suis vraiment très méchant. Partout où je vais on dit :

— Le Guerrier est vraiment très méchant.

Je ne suis gentil avec personne, surtout pas avec le Pou.

LE POU, il est dans ma classe, toujours bien assis devant le professeur, mademoiselle Lalonde. Il est petit, joli et bien élevé. Il lève toujours la main avant de parler. Il écrit bien, il lit bien, il est gentil. Tout le monde l'aime. Il m'énerve, il m'énerve !

Lorsque je rencontre le Pou dans les couloirs de l'école, je lui donne toujours une tape derrière la tête. Il pleure.

Il pleure si je lui lance un ballon, il pleure si je me bats avec lui, il pleure si je lui vole son goûter.

chapitre 3
Les Punitions

LE POU ne se fait jamais punir.
Moi, presque tous les jours.

Quand on m'envoie chez le directeur,
je dis :

– Ce n'est pas de ma faute, cher mon-
sieur le directeur, c'est lui qui a com-
mencé le premier...

Lorsque je suis en punition dans le coin, le Pou, il m'énerve, il m'énerve ! Il m'énerve tellement que j'en rêve la nuit : dans un immense champ de bataille, nos deux armées se retrouvent face à face.

Je sonne la trompette, nos soldats se précipitent les uns contre les autres.
À la fin, il ne reste que nous deux, moi le Guerrier, et lui le Pou. Il ne se sauve même pas, il rit. Il rit tellement fort que je me réveille juste avant de le battre. Il m'énerve, il m'énerve jusque dans mes rêves...

chapitre 4
Les provocations

Le Pou, il fait exprès de me provoquer. Il s'entraîne tous les jours avec ses nouveaux souliers de course. Il court tellement vite que je ne peux pas l'attraper !

L'autre jour, je lui ai volé son goûter. Il était empoisonné, je suis tombé malade.

J'ai collé mon chewing-gum sur le siège de son vélo. Je l'ai retrouvé collé sur mon derrière de culotte. J'en ai assez de me faire ridiculiser devant tout le monde. Je prends les grands moyens.
Je déclare la guerre au Pou !

chapitre 5
La première guerre

J'AI PRÉVU la guerre pour vendredi à la sortie de l'école. J'ai écrit un mot au Pou pour l'avertir :

le pou,
je te déclar la gère, ki
comansera vent dredi
après lécol. Prepar toi,
sa va faire mal !

Le Pou corrige mon billet et me le redonne sans faute d'orthographe. Sur une autre feuille, il m'écrit :

Je ne veux pas faire la guerre avec toi. Tu es le plus fort, le plus beau, le plus fin.

Il ne m'insultera pas longtemps !
Avec mon armée de guerriers, j'attends le Pou au coin de la ruelle.

Nous sommes armés jusqu'aux dents avec des épées, des casques, des boucliers, des lances, des grenades, des bonbons, des croustilles et du chocolat. Le Pou, il sort de l'école avec Marlou Desrosiers, la belle petite frisée. Ils se dirigent vers nous.

Je sonne la trompette. En criant, nous encerclons le Pou et Marlou Desrosiers.

Je dis :
– Le Pou, tu es pris au piège comme
un rat !

En tremblant, il répond :

– Je me bats contre toi si tu peux m'épeler ce que tu viens de dire, sans faire une faute !

– C'est facile : *Le pou tu è pri o piaiz kom un ra...*

Marlou Desrosiers et tous mes guerriers éclatent de rire.

– Ha ! Ha ! Ha ! Le Guerrier, il ne sait même pas épeler correctement, mais il veut mener le monde… Ha ! Ha ! Ha !…

JE DÉTESTE qu'on rie de moi. Depuis cette guerre, j'étudie mon français tous les soirs. Je ne fais presque plus de fautes. Pour vérifier, j'envoie des billets au Pou:

le pou, bientôt, je me batteé contre toi! le pou, j'ourai ta pau! le pou, tè jours sont contés!

Chaque fois, pour m'insulter, le Pou corrige mes fautes.

Jusqu'au jour où je lui envoie :

le nou, la récréation est terminée, je t'attends vendredi après l'école.

Le Pou lit mon billet et m'écrit :

Félicitations, tu as fait zéro faute.

chapitre 7
La deuxième guerre

LE VENDREDI, avec toute mon armée, j'attends le Pou au coin de l'école. Il sort avec Fabie Bélanger, la belle petite rousse. Ils se dirigent vers nous. Je sonne la trompette, et nous les encerclons :

– Là, le Pou, tu es fait comme un rat !

Avant qu'il me le demande, j'épelle très fort :

– *Là, le Pou, tu es fait comme un rat !*

Il me regarde et répond en tremblant :

– Tu as combien de guerriers dans ton armée ?

– Douze avec moi, que je réponds sans hésiter.

– Vous êtes douze, nous sommes deux. Combien devrais-je ajouter de guerriers, et toi combien devrais-tu en soustraire, pour que nos deux armées soient égales ?

chapitre 8
Les mathématiques

JE DÉTESTE qu'on rie de moi. Depuis cette deuxième guerre, je travaille très fort mes mathématiques.

J'envoie des billets au Pou pour vérifier :

Le pou, tu dois ajouter 3 guerriers et moi en soustraire 5.

Il m'envoie un billet :

Non, ce n'est pas ça. Tu dois en soustraire 6 et je dois en ajouter 4 pour avoir 6 guerriers dans chaque armée. Que fait-on des 2 guerriers en trop ? Si nous les partageons, ça nous fait chacun une armée de combien de guerriers ?

Je calcule longtemps, j'additionne, je soustrais. Je remplis des pages et des pages, et je finis par trouver la bonne réponse.

chapitre 9

La troisième guerre

TOUS LES JOURS, le Pou et moi, on s'envoie des billets avec des problèmes de plus en plus compliqués.

Avant, les chiffres n'étaient que des chiffres. À présent, ils sont devenus des soldats. Je comprends tout. J'additionne, je soustrais sans problème. J'envoie un nouveau billet au Pou :

*le pou, ton heure a
sonné.
Rendez-vous vendredi
dans la ruelle.*

Le vendredi, j'attends Le Pou avec toute mon armée. Il sort de l'école avec Jeanne, la douce petite blonde. Ils se dirigent vers nous. Je sonne la trompette et nous les encerclons.

Je dis :

— Je te prête cinq soldats. Comme ça, tu en auras sept et moi aussi.

Le Pou dit en tremblant :

– D'accord ! Formons nos armées !
Mais comme je suis le plus petit, je
veux choisir mes soldats le premier...

– Je peux bien faire ça pour toi, mon
petit Pou ! Commence par celui que tu
veux !

– Bon, alors mon premier choix, c'est
toi, le Guerrier...

chapitre 10
L'équipe

MAINTENANT que je fais partie de l'armée du Pou, plus personne ne veut se battre contre nous. Le Pou et moi, on se fait toujours la guerre, mais dans la même équipe.

Ensemble, nous sommes les champions de la course à relais. Les champions pour compter et faire des recherches en équipe. Les champions pour faire le ménage de la classe. Les champions pour effacer le tableau.

Ensemble, nous sommes tellement bons que le grand Péloquin est frustré. Il veut se battre contre nous. Il dit :

– Vous m'énervez, tous les deux, vous gagnez toujours tout parce que vous êtes ensemble !

Je réponds :

– On va se battre avec toi si tu peux épeler ce que tu viens de dire, sans faire une faute !

– *Vou ménervé tou lé deu, vou gané touzour tou pace que vou ète ansenble...*

Le Pou et moi, on a ri comme des fous.
Puis j'ai dit au grand Péloquin :
– Bienvenue dans notre bande.

Pour les lecteurs débutants, des *histoires* courtes et vivantes, illustrées tout en couleurs

Vive la grande école

Les cabinets
La cantine
La dame des poux
La discussion
École occupée !
La fête des mères
La fête de l'école
L'argent de poche
La sortie
La rentrée

Claude Gutman / Serge Bloch

La bonne méthode

Délices de vaches
Merveilles de bricolage
Jouets plus ultra

Loo Hui Phang / Jean-Pierre Duffour

À mon avis

Je ne veux plus être un enfant !
Je veux changer la vie !
Je veux être un Cro-Magnon

Patricia Berreby / Clément Oubrerie

Premières fois...

Loin de toi
Attachez vos ceintures !
Quelle peur !

Rolande Causse / Stéphane Girel

Pas si bêtes !

Ça zozote au zoo
Tu te trompes, petit éléphant !
L'œuf du coq
La rhino est une féroce
Les dix ans du yack
Pourtant le dromadaire a bien bossé
Le renne est-il la reine ?
La farce du dindon
La course de l'élan
Le festin du morse

Hubert Ben Kemoun / Bruno Heitz

Hors série

Je te guérirai, dit l'ours
Une leçon de rêve pour un petit loir

Deux histoires de Janosch

Énervé, poil au nez !

Thierry Lenain / Robert Scouvart

Prière de ne pas entrer
dans la chambre des parents, merci

Alain Serres / Klaas Verplancke

Moi guerrier, toi pou !

Gilles Tibo / Claire Frank

Mille et une feuilles mortes

A-S de Monsabert / Caroline Grégoire

Plumes de neige

Michel Piquemal / Véronique Boiry